Het geheim van het gat in de dijk

PSSST! Ken jij deze GEHEIM-boeken al?

* Pleun, Isa, Rosa, Marie-Line en Roos wonnen de GEHEIM-schrijfwedstrijd.
Heb jij een spannend idee voor een boek? Doe mee op
www.geheimvan.nl of **www.leesleeuw.nl**

Selma Noort

Het geheim van het gat in de dijk

Met tekeningen van Saskia Halfmouw

LEOPOLD / AMSTERDAM

De Nederlandse
Kinderjury
2008

AVI 8

Eerste druk 2007

© 2007 tekst: Selma Noort

Omslag en illustraties: Saskia Halfmouw

Omslagontwerp: Rob Galema

Uitgeverij Leopold, Amsterdam / www.leopold.nl

ISBN 978 90 258 5173 6 / NUR 282

Inhoud

New York, Verenigde Staten van Amerika

In de hal van het vliegveld staat April, een mager meisje met een behuild gezicht, in de omhelzing van haar vader.

'*I love you, daddy.*' April duwt haar gezicht tegen haar vaders jas.

'*I love you too, darling.*' Haar vader pakt haar zacht vast bij haar kin en dwingt haar om hem aan te kijken. 'April, mijn broer Gijs en zijn vrouw Mieke zullen goed voor je zorgen daar in mijn geboorteland. Je zult het er fijn vinden. Ik weet het zeker! Ik stuur je een kaart. Elke week! Je kunt me sms'en en we kunnen e-mailen.'

'Ik wil er niet heen!' April wil roepen: Neem me mee. Ik wil bij jou blijven. Ik ken die mensen daar niet. Ik zal er zo alleen zijn. Maar ze snikt: 'Het is er gevaarlijk. De zee is er hoog en het land laag, dat heeft de juf verteld. Als er een overstroming komt, verdrink ik en dan zie je me nooit meer! Alleen maar omdat jij zonodig over de hele wereld op zakenreis moet!'

Aprils vader lacht. Hij veegt de tranen van Aprils wangen.

'Malle meid. Ik heb je toch verteld over de sterke dijken van die stoere Hollanders! Kom, niet huilen, *darling*. Wees eens dapper en *smile*!'

Welkom

April hoort tante Mieke en oom Gijs zacht met elkaar overleggen over de weg die ze terug zullen nemen. Wat raar om in een land te zijn waar iederéén Nederlands spreekt in plaats van alleen maar zij en *daddy*! Als ze thuis een geheimpje aan *daddy* wilde vertellen, deed ze dat gewoon hardop in het Nederlands, want dat verstaan ze niet in New York. Hier in Nederland hoeft ze dat andersom, in het Engels, niet te proberen, want bijna alle Nederlanders verstaan en spreken Engels, heeft *daddy* verteld. Ze zal dus gewoon moeten fluisteren. Maar ach, *daddy* is hier immers toch niet...

Als ze op een brede snelweg invoegen, laten ze de vele lichtjes van Schiphol al snel achter zich. Eentonig zwiepen de ruitenwissers de motregen van de voorruit. Doodmoe van de lange reis valt April op de achterbank in slaap.

Als ze wakker wordt is het bijna donker. Door het glas van de autoruit voelt ze de kou buiten. Ze rijden over een lange, rechte weg. Het landschap aan allebei de kanten is vlak en kaal onder een lage dreigende hemel waaruit het harder is gaan regenen. Het duurt even voor ze beseft waar ze ook alweer is: in Holland!

Als ze een dorp binnen rijden gaat ze rechtop zitten om beter naar buiten te kunnen kijken. Ze passeren een café, een kleine supermarkt en een kerkje met een spitse toren. Aan de rand van het kerkplein staat een groot herenhuis met in witte letters BIBLIOTHEEK op de gevel. Daarachter ligt een vriendelijk laag gebouw met boven de deur de woorden BASISSCHOOL DE KLIMOP. Een stuk verderop langs de hoofdstraat ziet ze een fel verlichte snackbar. Er staan een paar jongens en meisjes op fietsen en brommers voor de snackbar. April draait zich om en blijft door de achterruit kijken tot ze het dorp weer uit gereden zijn.

De oude boerderij waar oom Gijs en Aprils vader Hans geboren zijn, ligt vijf kilometer buiten het dorp. Het is een boerderij met een rieten dak en roodwitte luiken. Er zitten stallen vast aan het woonhuis. De boerderij ligt tegen een hoge dijk aan, in een drassige polder. Oom Gijs parkeert op het erf.

Achter de keukendeur ligt een mat. WELKOM staat erop. Oom Gijs en tante Mieke vegen hun voeten aan de mat en trekken hun schoenen uit.

Moeten mijn schoenen uit? denkt April geërgerd. Waarom heeft *daddy* haar niet verteld dat je in Nederland je schoenen moet uittrekken? Ze voelt dat ze een kleur krijgt. Ze bukt zich en trekt aan haar veter, maar ze trekt aan het verkeerde eind. De veter raakt in de knoop.

'Nou, daar is ze dan, helemaal uit New York!' roept oom Gijs. April hoort een paar stemmen door elkaar praten. Ze kijkt op. Een jongen met donkerblond haar en een brilletje bekijkt haar vriendelijk.

'Hoi,' zegt hij. 'Ik ben Pieter. Je komt bij mij in groep zes.'

April rukt aan haar schoen. Hij schiet los. Ze voelt de kou van de tegelvloer door haar sok heen.

'H... *hello*,' stamelt ze.

Pieter trekt een kleine jongen naar voren. 'Dit is Stein.'

Stein probeert Pieter te stompen. 'Dat kan ik zelf wel zeggen!'

Achter Pieter staat een groot meisje. Ze is zwaar opgemaakt en kijkt hooghartig.

'Hoi,' zegt ze. 'Ik ben Elly.'

Oom Gijs slaat zijn arm om April heen. 'Kom eerst maar eens een hapje eten, lieverd. Je tassen halen we zo wel uit de auto.'

De tafel in de grote keuken is gedekt met een roodgeruit kleed. Er staan zes borden klaar met bestek ernaast. Het ruikt er vreemd.

'We eten boerenkool,' vertelt tante Mieke. 'Dat heb je vast nog nooit gegeten. Het is echt Nederlands!'

'Boerenkool met worst! Joepie!' roept Stein. Hij schuift zijn stoel piepend over de tegelvloer. April krimpt in elkaar van het afschuwelijke geluid.

'Jij zit naast Elly,' zegt oom Gijs wijzend. April gaat zitten. Iedereen schuift aan. Tante Mieke haalt een grote schaal uit de oven en zet hem op tafel. Met een zwaai tilt ze het deksel eraf.

Een vreemde etenslucht komt uit de schaal walmen. April ziet twee dikke worsten boven op een groene brij liggen. Moet ze dat echt eten?

Tante Mieke schept op. Flats! Flats! Een kwak op elk bord. Een stuk worst ernaast. En tot Aprils afschuw: een schep bruine soep over de groene brij.

'Jus!' legt oom Gijs uit. Hij wrijft in zijn handen. 'Eet smakelijk, allemaal.'

'Eet smakelijk,' mompelen ze door elkaar.

'Eet smakelijk,' zegt April snel. En dan hoort ze alleen nog het gekletter van vorken en messen.

April prikt in de worst en gluurt door haar wimpers naar Pieter, die tegenover haar zit. Hij snijdt zijn worst met zijn mes in plakjes. Zijn vork houdt hij in zijn linkerhand. Dat heeft *daddy* wél verteld aan April. In Europa wordt met mes en vork gegeten.

April pakt haar mes en snijdt haar worst, net zoals Pieter dat doet. Ze prikt een plakje aan haar vork en steekt het wantrouwig in haar mond.

De worst is lekker! Dat is een verrassing.

Voorzichtig proeft April nu ook van de groene brij met de... wat zei oom Gijs ook alweer? Geen soep... Een soort saus. Jus?

'Lekker!' zegt ze verbaasd.

Tante Mieke kijkt op. Ze knipoogt naar April. 'Het valt mee, hè?' zegt ze. 'Ik heb pudding voor toe gemaakt. Die vind je vast ook lekker. Pudding met aardbeiensaus. En dan mag je lekker in een warm bad, meiske. En naar bed.'

'Ze is er net!' zegt Stein verongelijkt. 'Waarom moet ze nou al naar bed?'

'April blijft nog een hele poos bij ons,' zegt tante Mieke. 'Je krijgt nog volop de tijd om haar te leren kennen, Stein.'

'Kijk eens, ik laat het bad vast voor je vollopen.' Tante Mieke draait de kranen boven een ouderwets wit bad open. Intussen poetst Stein zijn tanden boven de wastafel.

'Ik zit in groep drie, bubbeldeblubbel,' gorgelt hij tegen April. 'En ik zit op voetbal. Maar we... blubbel, zitten dit jaar in een hogere poule en nou verliezen we blub-blub alle wedstrijden.' Hij spuugt een dikke kwak tandpasta in de wastafel.

April staat in de deuropening en kijkt door het roestige raampje boven het bad, dat op een kier staat. De geur van mest waait over het donkere land met de wind mee naar binnen. Er wuift spinrag aan het plafond en een paar van de grauwwitte tegels boven de wastafel zijn gebarsten.

Tante Mieke had het vast tegen Stein, denkt April met een blik op de mand vol plastic dino's, haaien en supermannen. Dit hok is natuurlijk de badkamer voor de jongens. Zij mag toch zeker in haar eigen badkamer in bad? Of misschien moet ze een badkamer delen met Elly...

Hoe dan ook, die badkamer is vast veel mooier, met een dikke badmat op de vloer, leuke flesjes badschuim en een stopcontact voor de föhn.

Ze draait zich om en kijkt de overloop op. Waar is tante Mieke nou gebleven?

'April!' roept tante Mieke.

April stapt de badkamer uit. Er staat een deur op een kier. Een streep licht valt tot voor haar voeten. Ze loopt naar de deur en duwt hem verder open.

'Kijk eens, schat, dit is je kamertje. Oom Gijs heeft je bagage al boven gebracht.' Tante Mieke klopt op het bed. Er ligt een dik dekbed op met een nieuwe gebloemde hoes eromheen. Op het voeteneinde liggen een paar gekleurde kussentjes. Naast het bed staat een leeg boekenkastje.

'Daar kun je alvast wat van je spulletjes in kwijt.'

Tante Mieke glimlacht en strijkt een lok haar van haar voorhoofd.

'Je bent vast niet erg blij met dit autootjesbehang, maar daar is even niks aan te doen. Deze kamer is eigenlijk van Stein, weet je. We hebben Stein voorlopig bij Pieter op de kamer in het stapelbed gelegd. We zullen eerst maar eens zien hoe het je bevalt bij ons, voordat we echt grote veranderingen gaan aanbrengen...'

'*Daddy* komt me natuurlijk weer snel halen, dus het is goed zo, tante Mieke. Dank u,' zegt April stijfjes in haar keurige Nederlands.

Tante Mieke kijkt April aan alsof ze haar wil tegenspreken. Ze doet haar mond al open, maar ze bedenkt zich en doet hem weer dicht.

'We zullen wel zien, hè?' Ze buigt zich over Aprils koffer die op het voeteneinde ligt. 'Kijk eens aan. Is dit je pyjama? En je hebt ook een badjas en pantoffels, zie ik. Dat is goed, die heb je hier nodig. Nou, het bad is nu vast wel vol. Ik ga Stein naar zijn bed brengen. Ik lees hem altijd nog even voor. Je kunt de badkamer op slot doen, hoor. Dan zit je meer op je gemak, toch? O, en ik zal het raampje even...'

Pratend loopt tante Mieke met Aprils badjas en pantoffels de kamer uit. April hoort een harde bonk van het raampje en het piepen van de kraan die wordt dichtgedraaid.

'Vergeet je tandenborstel niet,' roept tante Mieke nog.

April kijkt de overloop op. Ze ziet hoe tante Mieke Stein zacht voor zich uitduwt naar de kamer bij de trap.

'Kom op, Stein, nu niet meer treuzelen.'

April gaat terug haar kamertje in. Ze ploft neer op het bed.

Het moet een grap zijn. Tante Mieke bedoelt écht dat ze in bad moet in dat afschuwelijke hok! En ze moeten allemaal op diezelfde koude wc beneden! Vreselijk!

Thuis in New York heeft ze haar eigen badkamer met een toilet. En een heerlijk warme badmat, grote vrolijk gekleurde badlakens en een kast met alleen haar eigen spulletjes erin. En ze is heus niet verwend! Bijna alle meisjes van haar school daar hebben een eigen badkamer, en alleen soms delen ze die met een zusje. Stel je voor dat ze op de wc zit en Pieter staat voor de deur te wachten omdat hij ook moet! En als ze in bad zit, komt tante Mieke dan gewoon haar tanden staan poetsen?

Woedend voelt April tranen in haar ogen opwellen. Hoe kan *daddy* haar hierheen sturen! Deze boerderij is oeroud!!

Ze voelt in haar broekzak en haalt haar gloednieuwe mobieltje tevoorschijn. *Daddy* heeft zorgzaam zijn mobiele nummer al voor haar ingevoerd.

Driftig drukt April de lettertjes in: I hate it here!

En dan drukt ze op 'verzend'.

Wegwijs

De volgende dag, zaterdag, laat Pieter April alles zien. 'Ik moet je wegwijs maken van mam. We beginnen bij de werkplaats van papa,' kondigt hij aan. 'Dat is in de oude koestal. Papa heeft er nu de meubelmakerij.'

In het dak van de stal zijn ramen gemaakt en overal langs de wanden staan planken en balkjes. Het gereedschap van oom Gijs hangt keurig uitgestald in de lichte ruimte. Op de werkbank staat een kleine stoffige radio zacht aan.

'Papa is hout gaan halen,' vertelt Pieter. 'Hij zal zo wel terug zijn. Ik mag hem wel eens helpen. Zie je dat nachtkastje daar? Dat heb ik gemaakt.'

April knikt beduusd. Ze kent geen enkele jongen van haar eigen leeftijd die een nachtkastje kan maken!

'Wat knap!'

Tante Mieke is soep aan het maken in de keuken. Elly ligt in de huiskamer op een van de uitgezakte bruine banken voor de televisie en doet net alsof ze April en Pieter niet ziet.

'En hier werd vroeger kaas gemaakt maar nu heeft mam er haar wasmachine staan,' vertelt Pieter terwijl hij een deur opent.

'En daar in de kleine stal staan onze fietsen en de auto en die oude trekker is om het gras mee te maaien. Zie je onze dwerggeitjes daar op het grasveldje? Ze zijn voor de lol, hoor, niet om te melken. Die kleine met die horentjes heet Mekkie. Soms springt ze over het hek en dan moeten we haar gaan zoeken.'

Boven op de slaapkamer van oom Gijs en tante Mieke staan een groot bed en twee prachtig bewerkte kasten.

'Deze heeft papa gemaakt,' zegt Pieter trots. Hij geeft een klopje op een kast. 'En het bed ook.'

Voordat Pieter Elly's kamertje laat zien kijkt hij eerst even naar de trap om er zeker van te zijn dat ze er niet aankomt. Er hangt een papier met VERBODEN TOE-GANG op de deur.

'Ze gaat onwijs tekeer als je op haar kamer komt,' legt hij grijnzend uit. Hij opent de deur op een kier. Nieuwsgierig gluurt April naar binnen. Ze ziet een rommelig bed, een nog rommeliger bureau en muren vol foto's van popsterren.

Pieters kamer, die hij nu deelt met Stein, is lekker groot. Stein heeft er zijn ton met lego omgekeerd zodat je er bijna niet kunt lopen. Pieter houdt van lezen. Hij heeft een boekenkast vol boeken.

'Ik krijg voor mijn verjaardag altijd een boek, en van Sinterklaas, met kerst, en soms ook gewoon tussendoor,' vertelt hij. 'Ik ben de enige jongen in de klas die alle Harry Potters al uit heeft.'

'Ik heb ze ook allemaal gelezen,' zegt April verrast. 'Hoe... kun jij dan Engels lezen?'

'Nee, joh. Ze zijn gewoon in het Nederlands. Ze zijn toch eh... hoe heet dat, vertaald!'

'O ja.' April knikt. 'Natuurlijk. En heb je ook de films gezien?'

'Ja, allemaal! Eerst in de bios in de stad, maar we hebben ze nu ook op dvd. Als het regent en we hebben niks te doen, dan mogen we altijd cakejes bakken en ze allemaal opeten terwijl we Harry Potter kijken.'

April lacht. 'Misschien gaat het vanmiddag wel regenen,' zegt ze opgetogen. 'Het regent toch heel vaak in Nederland? Dat zei *daddy*.'

'Best wel vaak,' zegt Pieter. 'En waaien ook! Keihard, hoor. Dat zul je nog wel merken als je met ons mee naar school fietst.'

'Fietst?' De lach is meteen weg van Aprils gezicht. 'Je maakt een grapje, toch? Oom Gijs brengt ons toch wel met de auto, of tante Mieke? Of anders rijdt er zeker toch wel een schoolbus!'

Pieter moet zijn vader helpen hout uitladen. Elly is bij de geitjes. Ze is veel aardiger als er niemand anders in de buurt is.

'Aai haar maar,' zegt ze bemoedigend tegen April. 'Mekkie doet niks. Ze geeft soms alleen een kopstootje, maar dat is gewoon speels!'

Het geitje ruikt sterk. April vind het wel een lekker luchtje. Ze laat Mekkie aan haar hand ruiken en aait haar langs haar hals. Mekkie mekkert en duwt met haar horentjes tegen haar been. Het andere geitje komt er ook bij staan.

'Dat is Liefie, die is al een stuk ouder,' vertelt Elly. 'Ze is de moeder van Mekkie.'

'O, ze... ze bijt in mijn mouw!' April giechelt. Ze trekt haar arm weg.

Elly lacht. 'Liefie heeft een keer een onderbroek van Stein bijna helemaal opgegeten! Ze had hem van de waslijn getrokken! Als je wilt, mag je wandelen met Mekkie, dat vindt ze leuk. Dan moet je wel een riem aan haar halsbandje vastmaken. Je kunt zo naar boven lopen...' Ze wijst. 'Kijk, daar, de oude dijk op, dan heb je een prachtig uitzicht.'

'Mag ik dat? Mag ik dat nu?'

'Ja, natuurlijk! De riem hangt in de schuur. Kom maar mee, dan laat ik je zien waar hij hangt.'

April holt achter Elly aan. Wat zal *daddy* opkijken als ze hem vanavond dit sms'je stuurt: Daddy, je raadt nooit

wat ik vandaag heb gedaan. Ik heb met een geit op een dijk
gewandeld!

Mekkie sleurt April half de dijk op. Ze komt er vast vaker,
want ze weet het paadje omhoog precies te vinden.
Boven op de dijk wordt April gegrepen door de wind. Hij
rukt aan haar haren en duwt haar bijna omver. Ze ritst
snel haar jack helemaal dicht. Is dit een storm of gewoon
Hollandse wind?

In de verte komt er een fietser aan over de dijk, zwoe-
gend en diep over zijn stuur gebogen. Mekkie stapt van
het asfaltpaadje af het gras in. De fietser passeert.
'Mogge,' zegt hij zonder op te kijken.

'Hi,' groet April verlegen terug. Ze kijkt hem na tot hij
nog maar een zwarte stip in de verte is.

Achter de dijk ligt laag, kaal land. Sloten lopen er als
brede, glinsterende strepen doorheen. Groepen gak-
kende ganzen wroeten er met hun snavels in de grond en
allerlei soorten vogels zoeken er naar eten. Overal buigt
hoog riet ruisend in de wind. Op de dijk staan vreemde
bomen zonder takken.

Het is zo anders. Zo verschrikkelijk anders dan thuis
in New York.

Waar zijn de auto's? Waar zijn de mensen? Waar zijn
de hoge flats, de huizen en de winkels? Zitten de kinderen uit haar klas in New York nu op school? Missen haar
vriendinnetjes haar eigenlijk wel? En waar is *Daddy*?

Angst voor al die onbekende ruimte en die wijde verte
zet zich plotseling als een prop in Aprils keel vast zodat
ze het er benauwd van krijgt. De wind drijft tranen uit

haar ogen en snot uit haar neus. Ze veegt met haar mouw over haar gezicht en snikt hardop.

'*Daddy*! Ik ben hier zo alleen. *Daddy.*'

Haar woorden waaien weg, de polder in. Mekkie komt naar haar toe en duwt haar vochtige neusje tegen haar handpalm. Ze mekkert zacht maar April merkt haar niet op.

Tante Mieke heeft een bosje narcissen neergezet op het boekenkastje aan Aprils hoofdeinde. En ze heeft haar Elly's oude rubberlaarzen gegeven voor als ze weer de dijk op gaat. April heeft samen met Pieter en Stein cake-jes gebakken die ze allemaal opaten, terwijl ze languit op de bruine banken naar het derde deel van Harry Potter keken. Toen nam tante Mieke April in de auto mee naar het dorp en mocht ze zelf een pizza uitkiezen voor het avondeten en wat rondkijken.

Nu ligt April in bed en strijkt tante Mieke over haar haren.

'Ga maar lekker slapen, schat.'

'Tante Mieke? De zee is hier toch niet ver vandaan?'

'Nee hoor. Tien minuutjes met de auto en dan ben je er.'

'Tien minuutjes,' herhaalt April. 'De dijk is hoger dan de boerderij,' zegt ze dan.

'Ja, die oude dijk heeft ons honderden jaren beschermd tegen hoogwater,' zegt tante Mieke trots. 'Ons dak komt er net iets bovenuit. Grappig hè?'

Midden in de nacht wordt April wakker van het geluid van een binnenkomend sms'je. Op de tast knipt ze het

bedlampje aan en zoekt ze haar mobieltje.

Ben nu in Hongkong en mis mijn lieve meid. xxx daddy.

Met een zucht legt ze het mobieltje terug en knipt ze het lampje weer uit. Als *mommy* niet ziek was geworden en was gestorven… Dan zou ze nu gewoon in New York zijn, ook al was *daddy* op zakenreis. Dan zou ze daar naar haar eigen school gaan. *Mommy* zou haar brengen met de auto…

Maar *mommy* kent ze eigenlijk alleen maar van foto's, omdat ze al gestorven was toen April nog niet eens kon lopen. Waarom moest *daddy* nu ook uit Nederland komen! Als ze nou gewoon familie had gehad in New York of tenminste ergens in Amerika!

En nu is ze zelf in Nederland. Ze staart in het aardedonker.

In New York zijn er altijd lichten aan en is er altijd geluid van verkeer of sirenes van zieken- of politieauto's. Wat is het hier stil. Zo verschrikkelijk stil. En zo ontzettend donker.

Maar dan hoort ze toch iets. Het geluid van een brommer. Het komt steeds dichterbij en slaat dan af. Weer stilte. En dan een jammerend langgerekt soort gebalk. Een luide en klaaglijke kreet.

Stijf ligt April onder haar dekbed. Wat kan dat zijn? Een coyote? Een wolf? Welk dier maakt zo'n afschuwelijk geluid? Wat is dit voor land waar bloeddorstige dieren zomaar rondlopen!

Opnieuw klinkt het. Het wordt beantwoord. Nu hoort ze twee, nee, drie dieren die de roep lijken te beantwoorden…

MEKKIE! Die schattige geitjes! Staan ze eigenlijk wel binnen? Straks worden ze verscheurd!

April glijdt onder haar dekbed uit. Ze loopt naar het raam en schuift het gordijn opzij. De weg baadt in het maanlicht. Beweegt daar iets? Of is het de wind? Dáár! Naast de kleine stal. Ze zag iets! Ze weet het zeker!

Straks ligt Mekkie nog dood buiten en dan zullen ze tegen haar zeggen: Als jij dat roofdier hoorde, waarom deed je dan niks om hem tegen te houden!

April maakt de deur van haar kamertje open en luistert. Ze hoort verder niemand. Iedereen slaapt gewoon. Hoort dan niemand dat afschuwelijke geluid?

Ze sluipt de trap af. Een wapen, ze moet een wapen hebben! Ze trekt de keukenla open. Ze ziet het broodmes liggen en pakt het stevig vast. Op haar blote voeten loopt ze naar de keukendeur. De sleutels zitten aan de binnenkant in het slot. Ze rinkelen zacht als April de deur openmaakt.

Buiten komt de wind ruisend over de dijk. Hij fluit om het rieten dak van de boerderij en in Aprils oren. Op het dak beweegt een zwart beest. April ziet fonkelende oogjes wantrouwig naar haar kijken. Plotseling slaat het zijn vleugels uit en fladdert verontwaardigd schreeuwend vlak over haar hoofd weg.

'Krráaa!'

April zwaait met het mes. Wat was dát?

'Krráaa!' De kraai strijkt neer op het dak van de kleine stal.

Een kraai! April laat het mes zakken. Dat stomme beest! Ze giechelt van opluchting en van de zenuwen.

Mekkie en Liefie staan niet buiten. De deur van de kleine stal staat op een kier. April loopt er over het grasveldje naartoe. Ze steekt het mes tussen de kier en duwt de deur verder open.

De twee geitjes liggen in het stro. Slaperig kijken ze haar verbaasd aan. April knielt bij de geitjes om ze te aaien.

'Gelukkig gaat alles goed met jullie. Ik pas wel op jullie, hoor, lieverdjes…'

Mekkie wroet met haar snuitje in Aprils nek en mekkert zacht.

Plotseling voelt April dat ze kippenvel krijgt. Er is iemand... Ze voelt het. Iemand of iets – het balkende beest?

Met een ruk draait ze zich om.

Elly staat in de deuropening. Haar gezicht is bleek in het maanlicht.

Ergens, achter de boerderij op de weg, start een brommer en rijdt weg.

'Wat doe jij hier?' snauwt Elly.

April hapt naar adem, van schrik en verontwaardiging.

'Wat doe jíj hier? Jij lag toch in bed?'

'Nou en? Jij toch ook!'

'Ik... ik hoorde een geluid. Ik ging bij Mekkie kijken.'

'Wat heb je daar nou? Het broodmes? Voel je je wel helemaal lekker? Dat ding is zo bot als wat! Wie wou je daar zijn kop mee afsnijden?'

'Er loopt hier een beest rond. Ik heb hem gehoord!'

Elly komt de stal in. 'Kom mee naar binnen, voor papa en mama ons horen. Als ze zien dat we uit bed zijn, worden ze razend!' Ze pakt April bij haar arm.

April duwt de staldeur stevig in het slot. Ze loopt achter Elly aan, terug naar de keuken. Elly duwt de deur open, pakt het mes van April af en legt het terug in de la.

'Heb jij dan niks gezien buiten, een beest? Een roofdier?' fluistert April.

'Nee joh, doe normaal! Je hebt vast gedroomd.'

'Maar wat deed jij dan buiten?'

'Niks. Eh... kijken waar jíj naartoe ging.' Elly duwt April voor zich uit. Ze wacht tot April bij haar kamertje is, legt haar wijsvinger tegen haar lippen en kijkt haar aan.

Niks zeggen, begrijpt April, en ze knikt.

De eerste schooldag

'Een coyote?' vraagt oom Gijs stomverbaasd. Hij vergeet van zijn lepel muesli te happen.

'Een wolf?' tante Mieke kijkt al net zo verbaasd.

'Ja, ik hoorde zoiets toen ik in bed lag,' legt April uit.

Stein schiet in de lach. Elly neemt een slok thee. Ze lijkt bezig met haar eigen gedachten, net alsof ze April niet hoort.

'De buren, van die boerderij achter het wilgenbosje weet je wel, die hebben een hond. Maar die heb ik nog nooit 's nachts horen huilen,' bedenkt Pieter behulpzaam.

'Ik hoorde toch iets, het was heel eng. Het kan wel een gevaarlijk beest zijn!' houdt April vol. Ze voelt dat ze een kleur krijgt. Zou Elly gelijk hebben? Heeft ze het dan toch gedroomd? Hoe kan het anders dat verder niemand dat geluid ooit heeft gehoord?

'Nou, ik zal eens opletten,' zegt tante Mieke. 'Maar je kunt me gerust geloven als ik je vertel dat de enige wilde dieren hier die ganzen achter de oude dijk zijn.'

'Jij mag op mijn oude fiets naar school,' zegt Elly, als ze met hun jassen aan in de schuur staan. 'Hij doet het nog best, hoor.'

April kijkt naar de fiets die er ouderwets en saai uitziet. Ze denkt aan haar eigen fiets thuis, een rode crossfiets van het nieuwste model waar ze mee ging crossen in het park.

'Waar is mijn helm?'

'Je helm? Het is toch geen brommer?' zegt Elly verbaasd.

'Maar... het is gevaarlijk zonder helm!' April kijkt ontzet van de een naar de ander.

Nu wordt het zelfs Pieter te gortig. 'Je valt hier hooguit met je hoofd op een homp klei en dat overleef je wel, hoor,' zegt hij grijnzend.

Als April met de fiets aan haar hand het erf op loopt stopt er met gierende remmen een jongen op een brommer voor haar neus. Elly rent de keuken in, en komt weer naar buiten terwijl ze een helm op haar hoofd duwt. Ze klimt achterop, trekt haar rugzak recht, duwt de kraag van haar jack omhoog en steekt haar hand op. Met een enorme dot gas, een behoorlijke roetwolk en een slippend achterwiel verdwijnt de brommer in de verte.

De weg naar het dorp gaat alleen maar rechtdoor en nergens anders heen. April knijpt hard en onwennig in de handvatten van haar stuur. Ze wil haar versnellingen aanpassen maar ze kan ze niet vinden. En ze heeft ook maar één rem.

'Pieter?'

Pieter houdt iets vaart in en komt naast haar rijden. 'Gaat het?'

'Ik denk...' Ze knikt naar haar stuur. 'Is er misschien een rem van Elly's fiets gevallen?'

Pieter denkt diep na. April vindt hem echt aardig. Hij lacht haar niet uit. Hij probeert telkens te begrijpen wat

ze bedoelt, ook al valt dat soms niet mee.

'Er zitten toch terugtrapremmen op,' zegt hij.

'Terugtrapremmen?'

'Ja. Ken je dat niet? Trap eens langzaam achteruit.'

'O!'

Stein botst bijna tegen haar op. 'Waarom rem je? Wat is er?'

April fietst alweer door. 'Enne...' ze durft bijna niets meer te vragen. 'De eh...' Hoe heten die dingen ook al weer in het Nederlands? 'Versnellingen?'

Pieter lacht een beetje. 'Die zitten er niet op. Bij tegenwind moet je gewoon harder trappen.'

'Maar als ik nou een berg op moet?' roept April wanhopig.

Nu lacht Pieter zo hard dat hij bijna geen antwoord kan geven. 'Een bérg?' hikt hij.

Stein heeft meegeluisterd. Hij perst zich op zijn kleine fiets tussen Pieter en April in.

'Jij bent heel grappig,' grinnikt hij. 'Ik ga op school aan iedereen vertellen dat jij mijn nichtje uit New York bent en dat je heel vaak gekke dingen zegt!'

Basisschool De Klimop is de enige school van het dorp. Groep 5 en 6 delen een juf en een lokaal. Juf Annie ziet er een beetje streng, maar toch wel aardig uit. Ze geeft April een ferme hand en zet haar in het groepje waar Pieter ook in zit. Tegenover Pieter zit een jongen, en naast hem nog twee meisjes, Hilde en Petra.

In het speelkwartier komen alle meisjes om April heen staan. Ze stellen haar zo veel vragen dat ze niet eens de kans krijgt de dikke plak ontbijtkoek die tante Mieke haar heeft meegegeven op te eten.

Hilde, uit Aprils groepje, staat eerst een tijdje te luisteren. Dan zegt ze ineens kattig:

'April, wat is dat nou voor een naam? New York is trouwens een rotstad. Iedereen die tv kijkt weet dat. Het stikt daar van de bendes die met elkaar vechten. Je kan daar niet eens buiten spelen, want dan loop je gevaar.'

April schrikt ervan. Ze wil wel iets terugzeggen maar

de andere meisjes beginnen ook opgewonden te praten over tv-series die ze hebben gezien over New York. En dan gaat de bel.

Tussen de middag fietsen ze terug naar de boerderij. Tante Mieke heeft de tafel gedekt. Er staat bruinbrood, kaas, jam en iets wat April heel gek vindt: hagelslag!

'In Amerika strooien wij dat alleen maar op taart!' roept ze verbaasd.

'Nou, wij eten het iedere dag, hoor,' zegt Pieter. 'Maar jij bent natuurlijk gewend aan een warme lunch op school. Dat is toch zo in Amerika?'

'Ja?' roept Stein. 'Wat krijg je dan? Hamburgers?'

'Soms,' vertelt April. 'Maar ook macaroni, of friet en boontjes of broccoli, of een omelet of spaghetti, dat soort dingen.'

Er is zelfs even tijd om tikkertje te spelen met Pieter, Stein en Mekkie voor ze terugfietsen naar school. Het kleine geitje kijkt April treurig mekkerend na.

Pieter kijkt om. 'Ze wil met je mee naar school,' zegt hij.

April geeft geen antwoord. O, mocht Mekkie maar mee naar school. Dan kon ze Hilde een ontzettende kop-stoot geven met haar horen-tjes zodat ze viel en iedereen op het schoolplein haar kon uit-lachen...

'Januari, februari, maart, april...' zingt Hilde zacht onder de reken-les. Petra giechelt. Pieter kijkt op.

'Doe niet zo stom, Hilde,' zegt hij. 'Je spreekt Aprils naam niet eens goed uit. In het Engels zeg je *Eepril*, dat weet je best!'

April krijgt een kleur en rekent door. De juf heeft het uitgelegd, in het Nederlands worden de cijfers andersom uitgesproken. Zesennegentig is *ninety-six*. In het Nederlands zeg je de zes eerst. In het Engels zeg je de negen eerst. En ook al sprak April thuis Nederlands met haar vader, rekenen heeft ze in het Engels geleerd en nu vergist ze zich steeds en draait ze de getallen per ongeluk om.

Pieter is klaar met zijn sommen. Hij loopt met zijn schrift naar de juf.

Moet ze al klaar zijn? Zacht prevelt April de getallen voor zich uit in het Engels.

'Hou op met dat gemompel, Februari. Ik kan me niet concentreren!' zegt Hilde zacht.

Geschrokken zwijgt April.

'April, mei, juni, juli... in New York wordt je vermoord met een vork,' zingt Hilde als ze April voorbijloopt in de fietsenstalling. Het slaat nergens op maar Petra en een ander meisje uit de klas giechelen alsof ze een reuzemop horen.

Pieter moet meteen na school naar judoles in het clubhuis naast de kerk. April heeft tante Mieke beloofd dat ze met Stein naar huis zal fietsen. Maar waar blijft Stein?

Ze pakt haar fiets en begint naar de uitgang van de stalling te lopen. Daar komt Stein gelukkig al aangerend.

'Ik mocht de planten water geven,' roept hij, zwaaiend met zijn rugzakje. Hij rent langs haar en begint aan zijn kleine fiets te sjorren.

'Ga eens opzij, sukkel!' snauwt Hilde. Ze stoot met haar voorwiel tegen Aprils achterwiel. April doet verbluft een stapje opzij ook al kunnen ze er gemakkelijk door. Ze staat niet eens in de weg!

Wat een rotmeid is die Hilde toch! Allerlei Engelse scheldwoorden schieten door Aprils hoofd. Was ze maar in New York, dan zou ze Hilde wel eens even vertellen

hoe ze over haar denkt. Maar hier, in Nederland, weet ze geen Nederlandse woorden te bedenken om ruzie mee te maken. Logisch, ze heeft toch zeker nooit 'ruziemaken' in het Nederlands met *daddy* geoefend!

Ze kijkt Hilde na, die met Petra wegfietst en vecht haar tranen terug. Ze wil niet dat Stein ziet dat ze bijna moet huilen. Hij zal het tegen tante Mieke zeggen en dan gaan ze zich er natuurlijk allemaal mee bemoeien en misschien wel iets tegen Hilde zeggen. En dan maken ze het alleen maar erger!

Maar Stein heeft niets van het voorval gemerkt. Hij kletst honderduit over zijn laatste voetbalwedstrijd en verwacht niet eens dat April hem zo nu en dan antwoord geeft.

Thuis rent hij meteen naar oom Gijs, die in zijn werkplaats is, om daar verder te kletsen.

Tante Mieke is bezig in het washok. April sluipt door de keuken de trap op naar haar kamertje. Ze pakt haar mobieltje, laat zich voorover op haar bed vallen en typt, terwijl de tranen over haar wangen lopen: Daddy, I miss you! Ik hou het hier niet uit! Kom me halen, please, please!

Een paar minuten later komt het antwoord binnen: Dapper zijn, lieverd. Hou vol! I love you and I miss you too! Ik kom je zo snel mogelijk opzoeken! Promise! 1000 kisses from Indonesia! daddy

Het hol in de dijk

April loopt steeds verder met Mekkie over de dijk. Het kleine geitje is al helemaal aan hun lange wandelingen gewend. Nu en dan blijft ze staan om ergens te snuffelen en een pluk gras uit de grond te trekken. Dan blijft April ook staan en tuurt over de vlakte achter de dijk.

'Het is nu allemaal natuurgebied,' heeft Pieter haar verteld. 'Er komen bijzondere vogels en ganzen en er groeit zelfs een soort orchideetje, dat is een heel bijzondere bloem. Maar ik heb er zelf nog nooit een gezien,' voegde hij eraan toe.

April woont nu twee weken bij haar Nederlandse familie op de oude boerderij. Haar kamertje is nu helemaal van haar. Het laatste speelgoed van Stein is verhuisd naar de werkplaats van oom Gijs. Er is daar plaats genoeg voor Steins trein en zijn lego en het is er altijd warm en gezellig. Oom Gijs trok Stein gisteren na het eten bij zich op schoot en knuffelde en kietelde hem tot hij schaterde.

'Ik vind het wel gezellig als jij bij mij in de werkplaats speelt, hoor, kleine kletskous!'

April kreeg er tranen van in haar ogen. Wie kon haar nu knuffelen? *Daddy* was zo ver weg. En zij had geen broers of zusjes. Ze zou best zo'n klein broertje als Stein willen…

Tante Mieke had het gemerkt. Toen ze 's avonds April

welterusten kwam wensen bleef ze nog even bij haar op bed zitten en gaf haar twee extra dikke zoenen voor ze haar instopte.

'Het valt allemaal niet mee, hè, lieverd,' zei ze. En ze drukte April nog even tegen zich aan.

Op school is het vreemd. Nederlands schrijven is veel moeilijker dan ze dacht. Ze maakt vreselijk veel fouten, hoe ze ook haar best doet.

En ze verstaat bijna alles maar ze begrijpt niet alles. De meisjes lachen om dingen die zij niet snapt. En ze vinden wat zij zegt vaak raar, ook al doet ze nog zo haar best om goed Nederlands te spreken.

Soms lachen ze haar ook uit onder het eten op de oude boerderij, als ze met zijn allen om de tafel zitten. Maar daar lachen ze anders, gewoon áárdig. En ze leggen haar ook uit wat zij dan zo grappig vonden, zodat ze mee kan lachen.

In de verte kleurt de lucht donker. 'Er is slecht weer op komst,' zei Pieter, voor April met Mekkie ging wandelen. Hij was oom Gijs aan het helpen in de werkplaats.

'Als je nu de oude dijk op gaat,' ging hij verder, 'dan zie je de storm in de verte komen, boven de Noordzee. Dat is een mooi gezicht, joh!'

'Is het een tornado?' vroeg April ongerust.

Elly kwam net binnen. 'Nee, zeg, de stormen hier zijn niet zo erg als in Amerika,' stelde ze April gerust. 'Maar ze kunnen wel hevig zijn, hoor.'

Mekkie staat stil met haar kopje in de wind. Ze snuffelt. Het is net alsof ze de storm ruikt. In de verte buigt het riet in een plotselinge eerste windvlaag. April draait zich om.

'Kom Mekkie, we gaan naar huis,' zegt ze. 'We gaan door de polder, anders waaien we weg! Kom dan!'

Onder aan de dijk groeit het gras hoog. Het staat er vol fluitenkruid en andere wilde bloemen. Mekkie verdwijnt helemaal tussen het groen. April moet grote stappen nemen. Nu en dan zakt ze een stukje weg in de modderige grond. Ze is nog nooit van de dijk afgegaan. Ze wist eigenlijk niet of het wel mocht. Misschien is dit land van een boer. Of is het ook natuurgebied?

Het begint te regenen. Mekkie heeft geen zin om verder te lopen. Ze heeft een bloem uit de grond gerukt en staat erop te kauwen. Als April aan haar riempje trekt, zet ze zich schrap.

'Toe nou, Mekkie, ik word drijfnat!' smeekt April. Maar Mekkie kauwt onverschillig verder en blijft staan waar ze staat.

April kijkt om zich heen. Waar kun je schuilen in een polder? Onder die bomen daar in de verte? En is het nu gevaarlijk buiten? Maar Pieter zei dat de echte storm pas 's avonds zou komen.

In de zijkant van de dijk groeit een scheve meidoorn. Ze kan er een beetje onder gaan staan, dat scheelt tegen de regen. Als Mekkie haar bloem op heeft wil ze vast wel weer verder lopen...

April laat Mekkie staan en baant zich een weg door het hoge gras naar de meidoorn. Ze buigt de doornige takken voorzichtig opzij en wringt zich eronder. Er zit zelfs een heel gat in de dijk. Een soort hol. Als ze daarin gaat zitten blijft ze helemaal droog! Bukkend wringt April zich tussen de laatste takken door. Er staat iets in het hol. Een soort wijnkistje. En er ligt een oude deurmat. Zou dit de geheime plek zijn van een kind hier in de buurt? Van Stein misschien?

April klopt de modderige aarde van de deurmat. Hij is vochtig, maar als ze erop zit, blijft ze tenminste aardig schoon. Ze legt de mat weer neer, gaat zitten en bekijkt het kistje eens goed.

Er zit een touw om met wel vijf knopen erin. A F B L I J -

VEN staat er in bibberige balpenletters op het kistje. En GEHEIM. April peutert aan het touw. Haar handen zijn koud en de knopen zitten strak aangetrokken. Ze is zo ingespannen bezig dat ze in de verte het eerste rommelen van de donder niet eens opmerkt.

Eindelijk schiet het touw los.

'Yes!' fluistert April. Ze slaat het deksel open.

Een lippenstift. Een doosje blauwe oogschaduw. Een dik schrift. Een gewoon en een rood potlood. Een gebroken armbandje met een rood hartje eraan...

April slaat het schrift open en leest: *Mama vindt het niet goed als ik oogschaduw op heb. Van haar moet ik wachten tot ik op de middelbare school zit! Ze is zo ouderwets. Ze bemoeit zich overal mee en Pieter en Stein ook! Ik kan nooit even in de badkamer staan want dan moeten zij er weer in of papa roept dat ik moet opschieten!*

Het schrift is van Elly!

April bladert naar het einde: *Ron heeft me gezoend en na de zomervakantie fietsen we elke dag samen naar de middelbare school!*

Elly heeft met het rode potlood wel tien hartjes om Rons naam getekend.

April slaat het schrift dicht en legt het terug in het kistje. Elly is nu veertien. Na de zomervakantie gaat ze al naar de derde van de middelbare school. Zo te zien doet tante Mieke al lang niet meer moeilijk over oogschaduw. En zou die jongen met die brommer Ron zijn, of is dat al lang weer een andere jongen? Hoe dan ook, het lijkt erop dat Elly al jaren niet meer in haar geheime hol in de dijk is geweest.

40

April zet het kistje terug en kruipt onder de meidoorn vandaan. 'Mekkie?' roept ze.

'Mèèèh!' blaat het geitje vlak achter haar. Ze schrikt ervan.

'Kom je nu?'

Mekkie loopt braaf mee. Het is harder gaan regenen. Misschien was het toch beter geweest als ze op de dijk was blijven lopen. Op het pad schoot ze beter op dan hier beneden in het hoge gras. Maar dan had ze het gat in de dijk niet gevonden...

Plotseling wordt de hemel fel verlicht door een bliksemflits. April duikt in elkaar. De donder rolt dichterbij en davert boven haar hoofd.

'Ai!' kermt ze geschrokken.

Dan hoort ze de stem van tante Mieke. 'April! April! Thuiskomen!'

De boerderij moet al vlakbij zijn. Natuurlijk, aan de andere kant van de dijk! April trekt Mekkie mee omhoog en ziet het dak van de boerderij. Hij was zo dichtbij en ze zou er bijna aan voorbij zijn gelopen! Ze holt aan de andere kant de dijk weer af.

Tante Mieke staat in de opening van de keukendeur. Binnen in de keuken is het licht aan.

'O, gelukkig, daar ben je. De storm komt eraan en dan heb ik altijd graag mijn kinderen veilig binnen!' zegt ze. 'Hier, droog je haren maar af met deze handdoek en trek een droge broek aan, lieverd.'

Als April boven een droge broek aantrekt, komt Pieter haar kamertje in.

'Hé, je moet kloppen ja!' zegt April kattig.

Pieter haalt zijn schouders op. 'Je staat toch niet meer in je onderbroek?' zegt hij. Opgewonden voegt hij eraan toe: 'En? Heb je de storm zien komen? Je bent toch zeker wel onder aan de dijk gaan lopen, hè? Als je op de dijk loopt, kun je getroffen worden door de bliksem.'

'Dat had je dan wel even eerder mogen vertellen!' roept April verontwaardigd.

Pieter grinnikt een beetje beschaamd. 'Iedereen die hiervandaan komt weet dat,' zegt hij. 'Als je op de dijk loopt ben je het hoogst, en dat is gevaarlijk als het onweert.'

'Nou, in New York ben je nooit het hoogst, dus ik hoefde dat niet te weten,' zegt April. Ze giechelt. 'Hoger dan het *Empire State Building*... Stel je voor!'

Pieter lacht ook. 'Dat is toch de hoogste wolkenkrabber van New York?'

April knikt. 'Ik ben wel eens met *daddy* op de zesennegentigste verdieping geweest. Je kunt ontzettend ver kijken,' zegt ze trots.

Na het eten luisteren oom Gijs en Pieter naar informatie over de storm op het plaatselijke televisiestation.

'Het blijft de komende dagen stormen,' vertelt de vrouw van het weerstation. 'Morgenochtend neemt de wind tijdelijk af, maar tegen de avond zal hij weer aanwakkeren. In Zuid- en Noord-Holland zal dan extra dijkbewaking worden ingezet.'

April gaat bij hen op de bruine bank zitten. 'Extra dijkbewaking?'

Pieter knikt. 'Ja, soms is dat nodig.'

'Wat... wat kan er dan gebeuren?'

'Een dijk kan een zwakke plek hebben,' legt oom Gijs uit. 'Bij grote droogte kunnen dijken verzwakken, maar ook als het almaar blijft regenen.'

'Het heeft wel veel geregend de laatste tijd. De polder is helemaal modderig,' zegt April ongerust.

'Maak jij je maar geen zorgen,' zegt oom Gijs luchtig. 'Wij hebben hier een prima dijk. Die houdt het water wel tegen, hoor.'

Hij staat op en rekt zich lui uit. 'Zeg Pieter, wil je me even helpen met het afsluiten van de werkplaats? Ik heb buiten nog wat hout liggen, dat breng ik toch maar liever naar binnen.'

Pieter staat op. Hij loopt achter zijn vader aan.

Tante Mieke roept April. 'Ga jij aan je huiswerk? Dan breng ik Stein naar bed.'

Als April aan de keukentafel zit met haar rekenwerk voor zich, komt Elly naar beneden.

'Waar is iedereen?'

'Oom Gijs en Pieter zijn in de werkplaats, en tante Mieke brengt Stein naar bed,' zegt April. 'Zeg, Elly...'

'Ja?'

'Is die jongen op die brommer jouw vriend?'

Elly lacht. 'Dat mocht hij willen. Hij is wel leuk, hoor. Maar ik heb al een vriend.'

'Ja? Hoe heet je vriend?'

'Steven. Hij woont in het dorp. Mama zit altijd over hem te zeuren. Ze vindt hem maar niks omdat hij rookt en bier drinkt. Maar wat maakt dat nou uit? Zo veel men-

sen roken en iedereen drinkt toch zeker wel eens een
biertje! Hij is echt hartstikke aardig, maar mama is veel
te ouderwets, die snapt er niks van. Ze zit alleen maar te
zeuren dat hij te oud voor me is. En dat ik helemaal nog
te jong ben voor een vriendje en zo.'

'Hoe oud is hij dan?'

'Zeventien. Maar drie jaar ouder dan ik.' Elly lacht uit-
dagend.

'Enne… die jongen met die brommer, hoe heet die?'
vraagt April voorzichtig.

'Ruud. Hoezo?'

Ruud en Steven. Niet de Ron uit het schrift. April haalt haar schouders op. 'Zomaar...'

Als ze haar huiswerk af heeft, speelt April monopoly met Pieter en Elly aan de keukentafel. Beneden lijkt de storm wel mee te vallen. Maar als ze naar bed gaan, giert hij om het dak en rukt aan het roestige raampje in de badkamer. Als April onder haar gebloemde dekbed ligt hoort ze in de verte ook het afschuwelijke gebalk weer boven het gehuil van de storm uit.

Ze lachten om haar toen ze erover vertelde. Wolven en coyotes zijn er niet in Nederland, zeiden ze. Maar wat kan het dan zijn?

April trekt haar dekbed over haar hoofd en draait op haar andere zij. *April, mei, juni, juli...* hoort ze de hatelijke stem van Hilde in haar gedachten. En het nare gegiechel van de andere meisjes.

Nou, zij heeft ze niet nodig. Ze zit niet te wachten op stomme vriendinnen. Ze heeft Pieter en Elly om mee te praten, Stein om mee te spelen en Mekkie om mee te wandelen. En nu heeft ze haar eigen geheime plek in de dijk, want het is wel duidelijk dat Elly er nooit meer komt.

Stilte voor de storm

Voorovergebogen fietst April de volgende ochtend tegen de wind in tussen Pieter en Stein naar school. Gelukkig is het woensdag. Op de terugweg hebben ze windje mee en vanmiddag hoeven ze niet nog eens heen en weer te fietsen.

Juf Annie moet iets met een andere juf bespreken.

'Jullie maken de eerstvolgende drie opdrachten in het taalschrift. En als jullie klaar zijn, gaan jullie rustig lezen in jullie boek,' zegt ze streng. 'Ik reken op stilte, ook al heb ik uit het weerbericht begrepen dat er vanavond opnieuw storm wordt verwacht!'

Als de eerste kinderen klaar zijn met hun werk wordt het onrustig. Ze gaan heen en weer lopen met hun schriften en beginnen zacht met elkaar te praten. Pieter gaat zijn boek ruilen in de bibliotheek en April vergeet haar taalles.

Ze staart uit het raam waar de lucht steeds donkerder wordt en droomt weg. Ze herinnert zich een verhaal dat een juf op haar school in New York eens aan de klas vertelde toen er daar een storm werd verwacht.

Dit verhaal speelt zich af in een land ver weg. Holland, het land waar Aprils vader vandaan komt. Holland ligt in Europa en het heet eigenlijk Nederland. Dat betekent: het lage land. Het is bijzonder want het ligt echt heel laag, lager dan de zee. Het overstroomt nu niet omdat de Hollanders dijken hebben gebouwd die het water tegenhouden. Op een dag tijdens een vreselijke storm zag een jongen een gat in de dijk. Hij wist hoe gevaarlijk dat was. Een klein gat kon door het woeste water snel groter worden, de dijk zou kunnen breken en het land zou overstromen. De jongen stak zijn vinger in het gat en bleef daar, ondanks de storm, urenlang staan. Zo redde hij Holland en de Hollanders...

April schrikt op. Hilde zit voorovergebogen naar Petra en zegt:

'Wat stinkt het hier, hè? Wat zou dat nou zijn?'

'Ik weet het niet,' zegt Petra. Ze giechelt.

April doet net alsof ze hen niet hoort. Maar ze voelt dat ze vuurrood wordt. Kwam de juf nu maar terug in de klas. Of Pieter.

'Het komt uit New York. Het is geen maart maar April. En ze stinkt verschrikkelijk uit haar bil!' roept Hilde keihard door de klas, en ze schatert om haar eigen grap.

April trekt het kleine geitje mee over de dijk. 'Die stomme Hilde! Ik wou dat ze wegwaaide! Ik wou dat ze met haar fiets tegen een boom knalde! Ik wou dat de school instortte en dat zij dan nog binnen was!' raast ze tegen de storm.

Een stuk achter haar holt een kleine gestalte over de dijk. Hij roept haar naam en zwaait met zijn armen.

'April!'

Maar de wind fluit in haar oren en rukt aan haar capuchon. Ze hoort hem niet.

Ze weet nu precies waar Elly's hol is. In haar gedachten noemt ze het nog steeds Elly's hol, maar het gat in de dijk is nu háár hol. Ze stort zich van het pad af naar beneden, het hoge gras in, kruipt onder de meidoorn door en ploft neer op de oude deurmat. Mekkie dringt tussen de takken door, steekt haar kop naar binnen en kijkt nieuwsgierig rond.

'Mèèèh!'

April maakt met woedende rukken het kistje open en pakt het schrift. Met grote, rode potloodletters schrijft ze: *I hate Hilde! Ze is zo stom!* Ze wil nog meer schrijven maar dan hoort ze iets. Het lijkt alsof iemand haar naam roept. Ze trekt haar capuchon van haar hoofd om het beter te kunnen horen en kijkt naar Mekkie. Het geitje heeft het roepen ook gehoord. April ziet het aan de manier waarop ze rondkijkt en met haar oren beweegt.

April staat op en kruipt onder de meidoorn vandaan. Ze kijkt rond in de polder. Een grijs regengordijn stroomt neer uit de donkere hemel. Het gras buigt onder het gewicht van het vele water.

Hoe kan iemand haar geroepen hebben? Hier?

'APRIL!'

'Stein?' April begint de dijk op te klimmen.

Daar staat Stein, druipend van de regen. 'Waar... waar was je nou? Je moet thuiskomen van mama. Het gaat stormen. Het is gevaarlijk. Ik zag je lopen en toen was je ineens weg.' Hij huilt.

April slaat haar arm troostend om het kleine ventje heen.

'Sorry, hoor Stein. Hier ben ik al. Sorry, ik hoorde je niet door de wind. Kom eens kijken waar ik was. Ik heb een geheime plek hier in de dijk.' Ze pakt Steins hand en trekt hem mee naar beneden.

Beneden, uit de wind, kunnen ze elkaar beter verstaan. April veegt Steins wangen droog met de mouw van haar jas.

'Je mag het aan niemand vertellen, dit is mijn... onze geheime plek, goed?' vleit ze hem.

Stein kijkt met grote ogen rond. Hij snikt nog na, maar hij huilt niet meer.

'Heb jij dit gegraven?'

'Nee, het was er al. Het was eerst van... van iemand anders. Kijk, ik heb hier een kistje met spulletjes en ik ga het hier nog leuker maken van de zomer, als het warmer is en droog. Dan neem ik iets lekkers mee en limonade en dan mag jij hier ook komen, goed?'

Stein knikt onder de indruk. 'En niemand mag weten dat we hier zijn, hè?'

Mekkie steekt haar kop weer tussen de takken van de meidoorn door.

'Mèèèh!'

Ze kijken elkaar aan en lachen. 'Alleen Mekkie,' zeggen ze allebei tegelijk.

Ze lopen terug door de polder, in de luwte van de dijk. Stein loopt over het gras dat April voor hem plattrapt, en Mekkie loopt weer achter hem.

Voor het eerst is tante Mieke kwaad op April.

'Hoe haal je het in je hoofd om met dit weer weg te lopen!' roept ze, als April en Stein de keuken binnen komen. 'En ik had tegen jou gezegd: "Roep haar terug." Niet: "ga haar achterna!"' valt ze uit tegen Stein. Ze pakt een handdoek en begint ruw zijn haar droog te wrijven.

'Ga boven iets anders aantrekken en doe die natte kleren in de droogtrommel,' snauwt ze tegen April. 'En dan kom je me helpen de tafel dekken.'

'Ja, tante Mieke,' zegt April verschrikt. 'Sorry. Ik hoorde Stein niet roepen.' Wat is tante Mieke boos! Zou ze nou denken: Mijn nichtje uit Amerika is maar een lastpak! Een domoor die niks snapt?

'Je had zo wijs moeten wezen niet de dijk op te gaan

met dit weer,' moppert tante Mieke nog. Maar haar stem klinkt al iets vriendelijker en als ze weer naar April kijkt, glimlacht ze.

Onder het eten gaat de telefoon. Oom Gijs neemt hem op. 'Ik kom eraan,' zegt hij. 'Jullie kunnen met mij meerijden.'

Tante Mieke kijkt ongerust naar hem op. 'Wat is er?'

'Het water komt de boulevard op. Simon belde me of ik kan helpen. Barend en Tijmen zijn onderweg naar zijn huis. Van daar kunnen we verder met onze auto.'

Pieter, April en Stein vergeten te eten. Ze kijken naar tante Mieke die opstaat om oom Gijs' regenpak te halen. Even later komt oom Gijs terug, waterdicht ingepakt en met een gele zuidwester op zijn hoofd.

'Heb jij de schijnwerper de afgelopen tijd nog gebruikt, Pieter?' vraagt hij.

Pieter springt op en trekt de schijnwerper tevoorschijn onder uit het aanrechtkastje.

'Er zitten nieuwe batterijen in,' zegt hij. 'Pap… mag ik… mag ik mee?'

'Nee jongen, nog niet. Over een paar jaartjes, als je een man bent.' Oom Gijs slaat Pieter op zijn schouder. 'Pas goed op elkaar, jongens. En luister naar mama.'

De deur slaat achter hem dicht. Ze zien de stromende regen op het erf in het licht van de koplampen als hij wegrijdt.

'Nou, laten we maar verder eten voor het helemaal koud is geworden,' zegt tante Mieke. Ze gaat zitten en kijkt de tafel rond. Ze glimlacht maar ze blijft er toch ongerust uitzien. 'Toe, Stein, je hebt nog haast niks gegeten, knul...'

De telefoon gaat weer. Tante Mieke springt op. 'Met Mieke Verschoor... O, hallo Kim.'

April weet dat Kim de beste vriendin van Elly is.

'Wat?' vraagt tante Mieke verschrikt. 'Maar Elly zou toch bij je blijven eten en slapen! Wat zeg je nou? Hebben jullie ruziegemaakt? Is het uit met Steven? Echt? En ze is weggegaan op de fiets? Om vier uur? Maar dan had ze allang thuis moeten zijn!'

Pieter en April kijken elkaar aan. Waar kan Elly zijn?

Tante Mieke legt de telefoon weg. 'En nu is Gijs net weg met de auto!' Ze horen paniek in haar stem.

'Bel hem op zijn mobiel, tante Mieke,' stelt April voor. 'Hij kan nog niet ver weg zijn.'

'Ja, natuurlijk!' Tante Mieke pakt de telefoon weer en drukt op de sneltoets voor het mobiele nummer van oom Gijs.

Stein komt naar April toe en klimt op haar schoot. April slaat haar armen om hem heen en legt haar wang tegen zijn haar.

'Bliep bliep,' horen ze. 'Bliep bliep...'

Het geluid komt uit de gang. Pieter springt op en rent naar de kapstok. Daar hangt de jas die oom Gijs vandaag aan had. Hij steekt zijn hand in de jaszak en haalt het mobieltje van zijn vader tevoorschijn.

'Mama!'

Het weerlicht. Even zien ze hem daar fel verlicht staan, met het bliepende mobieltje in zijn hand.

Tante Mieke legt de telefoon terug. Het gebliep houdt

52

op. In de stilte horen ze boven het gebulder van de wind
uit een dreunende donderslag die nog lang narommelt,
alsof er enorme rotsblokken van een berg naar beneden
komen rollen.

De storm

'Misschien zit Elly in de garage,' zegt tante Mieke. 'Of in de werkplaats. Misschien heeft ze zich verstopt omdat het uit is met Steven!'

Ze begint haar regenjas al aan te trekken. 'Jullie blijven hier en eten je eten op,' zegt ze scherp. De deur slaat met een klap achter haar dicht.

Pieter en April eten hun bord leeg terwijl ze hun oren gespitst houden en door het raam het donkere erf op turen. Stein schuift zijn bord van zich af.

'Ik hoef niet meer.'

'Misschien is Elly bij een andere vriendin blijven slapen?' bedenkt April, als tante Mieke wel erg lang wegblijft.

'Dan had ze toch wel gebeld,' zegt Pieter.

'Ja...'

Ze zien een beweging bij het raam en kijken op. Tante Mieke komt binnen. Ze is drijfnat.

'Ik zie haar nergens,' zegt ze hijgend. 'Waar kan ze nou toch uithangen?' April hoort haar stem overslaan van ongerustheid.

'Ik fiets een stuk de weg af, misschien komt ze eraan.' En weg is tante Mieke alweer.

'Er staat veel te veel wind om te fietsen!' April staat op van tafel.

'Ik... ik ga het telefoonnummer van die Simon opzoeken waar papa naartoe is. Misschien is papa daar nog. Die mannen moeten maar met iemand anders auto naar de dijk gaan. Hij moet eerst Elly komen zoeken!' zegt Pieter. 'Stein, dat jongetje bij jou in de klas, met die bril, weet je wel? Simon is zijn vader. Wat is de achternaam van dat jongetje?'

Stein denkt diep na. 'Ik… ik weet het niet meer…' Zijn lip trilt.

Pieter slaat zijn arm om hem heen. 'Denk maar even rustig na. De juf zegt zijn achternaam vast wel eens…'

'Meerburg!' roept Stein. 'Bastiaan Meerburg!'

'Goed zo!' roept April.

Pieter holt weg om het telefoonboek te halen. Hij bladert even en toetst dan een nummer.

'Met Pieter Verschoor. Is mijn vader nog bij u? Nee?' Hij luistert even. Dan praat hij verder. 'We kunnen mijn zus Elly nergens vinden. Mama is buiten aan het zoeken. We hebben onze auto nodig.'

Hij luistert weer, trappelend van ongeduld. 'Nee, papa heeft zijn mobiel thuis laten liggen… O, dat is ook goed! Ja, dank u wel!'

'Mevrouw Meerburg komt eraan. Ze moet nog even aan haar buurmeisje vragen of die op de kinderen wil passen, en dan komt ze met haar eigen auto. Ze zal heel langzaam de weg afrijden en goed kijken of ze Elly onderweg ziet. Ik moet het aan mama vertellen!'

Pieter rent naar de gang en begint zijn jas aan te trekken. Tegelijkertijd stapt hij in zijn laarzen.

'Ik ren haar achterna,' roept hij. 'Blijven jullie bij de telefoon?'

April knikt. Pieter rent naar buiten. Een vlaag regen komt de keuken binnen. In de verte rommelt de donder weer. April doet de deur achter hem dicht.

'Gelukkig is het onweer nu wat verder weg.' Ze probeert geruststellend naar Stein te glimlachen. 'Kom maar een tekenfilm kijken, Stein. Dan mag je je toetje opeten voor de televisie, goed?'

Stein loopt achter haar aan en kruipt weg in een hoek van de bruine bank. April knipt de grote schemerlamp boven de bank aan, en stopt een dvd'tje in de dvd-speler en geeft Stein zijn toetje.

Ze loopt naar boven en gaat op haar bed zitten. Waar zou Elly naartoe gaan nu het uit is met Steven en ze ruzie heeft met haar vriendin? Niet naar huis. Ze dacht natuurlijk dat tante Mieke zou zeggen: Zie je wel. Die Steven was niks voor jou. Ik zei het wel! En daar zou haar verdriet alleen maar erger van worden...

'Oooh!' April slaat haar hand voor haar mond. Het gat in de dijk! Het hol! Vroeger ging Elly daarnaartoe als ze boos en verdrietig was en nergens anders heen kon...

April springt op. Ze moet er gaan kijken! Of... kan ze niet beter wachten tot die mevrouw er is met haar auto? Maar er kunnen geen auto's op de dijk. Er staat een paaltje midden op het pad. Er kunnen alleen maar fietsers op!

April grijpt haar mobieltje en laat het in haar broekzak glijden. Beneden is het stil, op de vrolijke geluiden van de tekenfilm na. Ze sluipt de trap af en kijkt om de hoek van de kamerdeur. Stein heeft zijn toetje opgegeten. De storm is hij even vergeten. Grinnikend gaat hij helemaal op in de film.

Paniekerig probeert April goed na te denken. Ze wil met de fiets... Nee, dat gaat niet. Ze zal van de dijk afwaaien. Ze kan beter gaan lopen!

Ze trekt Elly's oude laarzen aan, ritst haar jack hoog dicht en trekt haar capuchon over haar oren. Ze kijkt nog een laatste keer naar Stein, die haar niet heeft opgemerkt. Er staan drie filmpjes op die dvd, als het goed is blijft hij nog wel even zitten en merkt hij niks!

April sluipt door de oude kaasmakerij. Zorgvuldig duwt ze de achterdeur achter zich in het slot. Even moet ze wennen aan de wind en de duisternis buiten. Dan holt ze naar de overkant en kijkt in de kleine stal. De geitjes staan er warm en droog op het stro.

Hier is iedereen veilig. En tante Mieke en Pieter zullen toch niet lang meer wegblijven?

April rent het erf af. Op handen en voeten klautert ze tegen de dijk op. Eenmaal boven kan ze bijna niet overeind komen. De storm fluit om haar capuchon en blaast tranen uit haar ogen. Haastig veegt ze ze weg.

Daar is het fietspad al, glimmend van de regen. Ze waait heus niet weg. Als ze onder aan de dijk door het gras gaat lopen, schiet ze helemaal niet op. Ze wil snel zijn. Ze wil Stein niet langer alleen laten dan nodig is, als er iets met hem gebeurt, vergeven ze het haar nooit!

April holt, leunend tegen de wind in. Ze weet het bijna zeker: Elly is in haar oude hut, haar geheime hol van vroeger, haar verborgen gat in de dijk.

Gat in de dijk! April staat stil. Ze wordt bijna van de dijk geblazen. Geschrokken kijkt ze om naar de boerderij. HET STORMT EN ER ZIT EEN GAT IN DE DIJK!

Waarom heeft ze niet eerder begrepen hoe gevaarlijk dat
is?

'Pieter! Tante Mieke!' ze schreeuwt zo hard ze kan.
Maar ze lopen ergens op de weg naar het dorp en haar
schreeuw waait ongehoord weg met de wind.

'O, *daddy*! Een gat in de dijk! Ik had het tegen oom Gijs
moeten zeggen!' Jammerend staat April stil. De dijk kan
doorbreken! En Stein en Mekkie en Liefie zijn helemaal
alleen! Wat moet ze doen? Moet ze nu terug naar de boerderij en zo hard en zo ver mogelijk wegrennen met
Stein? Of moet ze juist eerst naar het hol om Elly te zoeken?

April proeft zout water op haar lippen. De zee? Ja, de zee is dichtbij met zijn hoge golven!

Ze rent verder, schreeuwend. 'Elly! Elly, ben je daar? Elly! Je moet me helpen!'

April voelt steken in haar zij, maar ze loopt door: 'Elly! Elly!'

Hoe moet ze dat gat dichtmaken? Ze past zelf helemaal in het hol, ze kán het niet dichtstoppen. Misschien met een matras, met heel veel zand, met een graafmachine... Maar hoe moet zij dat doen? Ze is maar een meisje van tien!

Was het gat maar kleiner! Net zo klein als het gat in de dijk uit het verhaal dat haar juf in New York vertelde. Dan kon ze ook haar vinger erin stoppen en iedereen redden: Stein, Pieter en Elly, tante Mieke en oom Gijs, het dorp, de school. Zelfs die stomme Hilde. Heel dit lage Holland kon ze dan redden van de hoge grijze golven!

1 – 1 – 2

April glijdt en glibbert van de dijk naar beneden. Ze rukt
en trekt de takken van de meidoorn opzij.

'Elly? Elly!'

'April! Ik wist dat je zou komen!' Elly's ogen zijn rood
van het huilen. Ze is doornat en haar gezicht zit onder de
modderige strepen.

'Ik heb mijn been gebroken, denk ik. Ik gleed uit in de
modder toen ik naar mijn oude hol zocht en viel naar
beneden. Ik probeerde mijn val te breken maar ik kwam
tegen de stam van dat boompje terecht. Het doet zo'n
pijn, April!'

'Stein is alleen thuis. Hij zal verdrinken. En de ande-
ren ook! Elly, de dijk zal breken! DE DIJK ZAL BRE-
KEN!' April stampvoet, buiten zichzelf. 'Kom mee, we
moeten vluchten... Ik weet niet waar ik dit gat mee dicht
kan stoppen!'

Ze barst in tranen uit en zakt neer op haar knieën.

Elly pakt Aprils hand. 'Wat is er nou? De dijk breekt
heus niet. Papa weet er alles van. Het is een stevige dijk,
hoor!'

'Er zit een gat in! EEN GAT!' schreeuwt April. 'De zee
komt eraan! Iedereen zal verdrinken!'

'Waar? Waar zit een gat in de dijk? Hoe weet jij dat?
Was het op het journaal? Moest papa komen helpen?'
Elly knijpt hard in Aprils hand. 'Is er alarm geslagen? Ik

heb geen sirenes gehoord! Of hebben ze soms de klok van de kerk geluid?'

'JIJ ZIT ERIN! JE ZIT IN HET GAT!'

April trilt. Ze kan niet meer ophouden met huilen. 'O *daddy*, we zullen allemaal verdrinken!' jammert ze.

'April!' roept Elly. 'April! Luister naar me. Haal eens diep adem. Dit is de oude dijk! De zee is hier toch niet? De hoge, nieuwe dijk ligt kilometers verderop, April. Deze dijk is van heel lang geleden...'

April staart Elly aan. 'De oude dijk?'

'Ja, we zeggen toch ook altijd "de oude dijk"? Dit is

zelfs de derde dijk. Als je bij de boerderij boven op de dijk staat en je kijkt in de verte, achter die rietkraag, dan zie je de tweede dijk. De zee komt hier niet. Echt niet! Wees maar niet bang.'

Elly is achterover gaan liggen. Haar gezicht is wit. Nu en dan kruipt er een traan van pijn uit haar ogen, en rolt over haar wang naar beneden.

April aait haar over haar hand. 'Blijf maar stil liggen, Elly.' Ze trekt haar mobieltje tevoorschijn en kruipt zover ze kan in het hol. Ze wil niet tegen Elly aanstoten maar de wind rukt aan haar jas en de regen slaat in haar gezicht. Het schermpje van haar telefoon is meteen drijfnat en beslaat.

'Elly?'

Elly doet haar ogen open.

'Wat is het alarmnummer in Nederland?'

'Ga je het alarmnummer bellen? Dat wil ik niet. Ik wil dat papa komt...' Elly barst in tranen uit. 'Ik wil dat papa me komt halen, hij kan wel met de trekker de dijk op.'

'Oom Gijs is naar de zee,' legt April uit. 'En hij heeft zijn mobiel niet bij zich. Stil maar, Elly. Ik bel een ziekenauto... Maar dan moet je me het alarmnummer zeggen, goed?'

'Eén één twee,' snikt Elly. 'Au, mijn been. Mijn been!'

'Blijf stil liggen, Elly, anders wordt het misschien nog erger.' Aprils vingers glijden van de natte kleine toetsen. Het verkeerde nummer. Rustig blijven! Ze moet het goed doen.

'Ja! Hallo? Met April Verschoor. Ik... Mijn nichtje heeft haar been gebroken, denk ik. We zitten in een gat in de dijk, een hol in de oude dijk bedoel ik, een soort hut. Wilt u komen, alstublieft? Elly heeft veel pijn!' April begint te huilen.

'Hallo, April!' praat de vrouw van de alarmcentrale rustig. 'Blijf aan de lijn, verbreek de verbinding niet. Blijf maar met me praten. Vertel eens, hoe oud ben je?'

'Tien, en mijn nichtje is veertien.'

De vrouw praat door. Ze stelt April vragen. Waar ze woont, hoe de lange weg heet van het dorp naar de boerderij.

'Ik ben wel eens bij Meubelmaker Verschoor geweest,' zegt ze. 'Ik weet welke weg je bedoelt, April. De ambulance gaat nu op weg. Maar blijf aan de telefoon. Als ze dan op de dijk zijn, vertel ik het je. En dan moet jij naar boven klimmen en zwaaien zodat ze zien waar jullie zitten.'

Op de lange weg rijdt de auto van mevrouw Meerburg. Tante Mieke zit naast haar en Pieter zit op de achterbank. Ze wrijven over de beslagen ruiten en turen in het donker.

'Rustig nou maar, Mieke. Je dochter is een slimme meid. Ze loopt heus niet in zeven sloten tegelijk,' probeert mevrouw Meerburg tante Mieke gerust te stellen.

Ze kijkt in haar achteruitkijkspiegel. Ze ziet koplampen van een auto die snel dichterbij komt. Pieter ziet de lichtbundels ook over de natte weg glijden. Hij draait zich om en kijkt door de achterruit. Plotseling gaan er zwaailichten aan op het dak van de auto en horen ze het geluid van een sirene.

'Er rijdt een ambulance achter ons. Hij moet erlangs!' schreeuwt Pieter.

Tante Mieke kijkt om. Mevrouw Meerburg gaat zo ver mogelijk opzij om de ziekenauto te laten passeren. In een wolk van opspattend regenwater schiet hij voorbij.

'Hij gaat naar ons huis!' Pieter gaat half staan en stoot zijn hoofd tegen het dak van de auto.

Tante Mieke slaat haar hand voor haar mond. 'O, hemel! Stein! April!'

Mevrouw Meerburg geeft gas. De auto schiet met piepende wielen vooruit. Ze racen achter de ambulance aan alsof ze ook loeiende sirenes en een zwaailicht op het dak hebben.

'Kijken jullie binnen of alles goed is!' schreeuwt tante Mieke tegen Pieter en mevrouw Meerburg. Ze springt de auto uit en holt naar de dijk.

Het blauwe licht van de ambulance zwaait over het erf. De mensen van de ambulance zijn bezig met een sleuteltje waarmee ze het paaltje dat op het pad naar de dijk staat, plat kunnen leggen zodat de ambulance het fietspad op kan.

Als tante Mieke omhoogrent, stappen ze alweer in.

'Wat is er gebeurd? Is er iets met mijn dochter?' schreeuwt tante Mieke tegen de wind in. Opnieuw rommelt de donder in de verte zodat ze het antwoord bijna niet verstaat.

'Twee kinderen in een gat in de dijk. Eén is er gewond. Mist u uw dochter?'

'Een gat in de dijk?' herhaalt tante Mieke in paniek.

Pieter komt de boerderij uit. 'Mama, April is weg!'

'En Stein?' schreeuwt tante Mieke.

'Stein is hier. Alles is goed met hem!'

'Ik mis mijn dochter en mijn nichtje is nu ook weg!'

'Komt u maar mee, mevrouw.'

Tante Mieke stapt achter in de ambulance. 'Rijden maar,' roept ze.

De ambulance begint te rijden. Ze kijkt door het raampje. Ze ziet Pieter en Stein in het licht van het keukenraam, met geschrokken gezichten en grote ogen. En ze ziet mevrouw Meerburg Pieter tegenhouden als hij omhoog wil rennen, de dijk op, de ambulance achterna.

April hoort een geluid boven de storm uit. Is het een vliegtuig? Of is het de ziekenauto?

'Ik hoor iets,' zegt ze in haar mobieltje tegen de vrouw van de alarmcentrale.

'Dat zal de ambulance zijn, April. Geef je mobiel aan je nichtje, ik wil dat je je handen vrij hebt als je de dijk op klimt. Jij mag niet ook iets breken omdat je uitglijdt.'

April geeft Elly haar mobieltje. Ze hoort de stem van de vrouw nog roepen:

'Hallo, Elly?'

Elly brengt het mobieltje naar haar oor. 'Ja... met Elly,' zegt ze met een snik.

Het gras op de dijk is drijfnat. De klei eronder is glibberig. Aprils voeten zakken weg in de drassige grond. Ze pakt pollen gras in haar handen en trekt zich eraan omhoog, pakt zich weer hoger vast en klimt zo langzaam verder.

Als haar hoofd boven de dijk uitkomt, jaagt de wind tranen uit haar ogen. Hij rukt aan haar jack en blaast vlagen regen in haar gezicht.

April krabbelt overeind en houdt haar hand beschermend boven haar ogen. Ze tuurt in de richting van de boerderij. Ja! Een blauw zwaailicht. De ambulance!

'Hier! Hier!' Ze springt op en neer en zwaait met allebei haar armen.

De ambulance rijdt langzaam over het smalle pad. April rent erop af tot de lichtbundels van de koplampen op haar schijnen.

'Hier!' Ze wenkt en holt terug tot ze beneden in de polder de meidoorn weer ziet. 'Stop!'

De ambulance staat stil. De portieren slaan. Een man en een vrouw in regenkleding komen naar buiten, en nog iemand komt hard naar April toe gerend... Tante Mieke!

'April! Is alles goed met je?' Tante Mieke drukt April tegen haar natte jas en duwt haar dan weer van zich af om haar gezicht te bekijken.

'Ja, ik ben oké! Maar Elly heeft denk ik haar been gebroken...'

'Waar is ze?' vraagt de man van de ambulance.

'Hierbeneden. Er zit een gat in de dijk, een soort hol.' April maakt zich van tante Mieke los. Voorzichtig, om niet uit te glijden in de klei, begint ze de dijk weer af te dalen. De vrouw loopt op een holletje terug naar de ambulance. De man en tante Mieke volgen April naar beneden.

April buigt de takken van de meidoorn opzij. Elly zit nog met het mobieltje aan haar oor.

'Mama!'

'Elly! Lieverd!' Tante Mieke wil naar Elly toe maar de man van de ambulance houdt haar tegen.

66

'Wacht even, mevrouw. Als haar been inderdaad gebroken is kan ze beter niet bewegen.'

April neemt het mobieltje van Elly over.

'Ze zijn er,' zegt ze tegen de vrouw van de alarmcentrale. 'Dank u wel voor alles. Da-ag.'

De man van de ambulance gaat op zijn hurken voor Elly zitten.

'Zo, vertel eens, hoe oud ben jij?'

'Veertien,' antwoordt Elly met een klein stemmetje.

'En waar zit je op school?' vraagt de man.

'Op het Rembrandt college.'

'En wat is er met je gebeurd? Gleed je uit in de modder?'

April ziet dat de man, terwijl Elly praat, onderzoekend naar de schaafwond op haar wang kijkt, en naar haar been, dat ze angstvallig stil houdt.

'Heb je, behalve aan je been, nog ergens anders pijn?' vraagt hij.

'Ik... ik geloof het niet. Ik weet het niet zo goed. Ik heb het zo koud...'

'Meneer!' Tante Mieke roept. 'Uw collega is er weer!'

De man komt overeind. 'Nou Elly, we zullen je zo inpakken dat je been zo min mogelijk beweegt. En dan gaan we gauw met je naar het ziekenhuis, zodat je vanavond lekker in je eigen warme bed kunt slapen, hoor!'

Elly ligt in de ambulance. April zit op een klein uitklapstoeltje naast haar. De blauwe zwaailichten werpen een spookachtig licht in de diepten aan allebei de kanten van de oude dijk. De wind fluit tegen de zijspiegels. De sirene staat niet aan. Er hoeft niemand opzij. Er is geen levende ziel die zich nu op de dijk waagt.

De vrouw die de ambulance bestuurt, stopt op het erf van de boerderij.

'Zeg tegen mevrouw Meerburg dat ze wel weer naar huis mag gaan en bedank haar, April. En denk erom, binnenblijven tot we terug zijn!' zegt tante Mieke dringend.

'Ja, tante Mieke. Da-ag Elly.' Elly ligt daar stil, haar gezicht is wit en ze heeft haar ogen dicht. Ze geeft geen antwoord.

'Het komt goed, April. Maak je geen zorgen en maak Stein niet ongerust. Vertel hem maar dat we gauw weer thuiskomen.'

De man maakt de deur voor April open. April springt de ambulance uit, het donkere erf op.

'Dag April, je hebt goed voor je nichtje gezorgd,' zegt hij. 'Ga maar gauw naar binnen.' De deur gaat weer dicht. De ambulance rijdt naar de weg.

'April!' Mevrouw Meerburg en Pieter staan in de deuropening van de keuken.

April rent naar hen toe. Ze gaan voor haar opzij zodat ze naar binnen kan stappen.

'Elly heeft haar been gebroken, maar ze komt vanavond nog thuis.' April bibbert van de spanning en de opwinding die ze heeft doorstaan. Ze voelt zich ineens doodmoe.

'Tante Mieke zegt dat u wel naar huis mag gaan, mevrouw Meerburg.'

Mevrouw Meerburg doet de deur achter April dicht.

'Dat komt wel goed, lieve kind. Maar ik ga pas als ik zeker weet dat jij in een lekker warm bad zit. Trek die natte kleren maar gauw uit in de bijkeuken. Dan laat ik het bad voor je vollopen.'

Mevrouw Meerburg heeft een heerlijk badgeurtje in het water gegoten. April zit tot aan haar oren toe in het schuim. Haar handen en voeten tintelen. Met kleine slokjes drinkt ze van de hete chocolademelk die mevrouw Meerburg haar bracht voor ze wegging.

'Stein ligt in bed, hij slaapt al,' zei ze. 'En Pieter is nog beneden bij de telefoon. Blijf maar lekker badderen tot je helemaal warm bent, April, en dan kruip je maar gewoon in bed, hoor. Ik vertel je oom wel wat er is gebeurd als hij mijn man vanavond thuisbrengt.'

April kijkt de badkamer rond. Het spinrag wuift aan het plafond. Er staat een grote plastic dino van Stein op de rand van het bad naar haar te kijken en in de wastafel liggen twee speelgoedhaaien. Buiten rammelt de wind aan het roestige raampje.

April zakt zo diep mogelijk weg in het warme water. De boerderij staat er al bijna driehonderd jaar. De oude muren zijn sterk en het dak waait er echt niet zomaar af. *Daddy* zat misschien al in ditzelfde bad toen hij een kleine jongen was en waarschijnlijk klapperde het roestige raampje toen ook. Ze heeft haar eerste Nederlandse storm overleefd en ook nog hulp gehaald voor haar nichtje. Ze is net zo dapper geweest als welk Hollands meisje dan ook! Trouwens, *daddy* had haar toch zeker niet naar Holland laten gaan als hij had gedacht dat het er gevaarlijk was!

Als April in haar kamertje haar badjas over haar pyjama aantrekt, hoort ze het weer, zelfs boven het lawaai van de storm uit. Het jammerende geloei. Ze verstijft en luistert.

Het kan dus geen wolf zijn en geen coyote. Maar wat is het dan wel? Ze holt de trap af. Pieter zit aan de keukentafel. Hij kijkt op.

'Pieter! Kom eens mee!'

'Wat is er?'

'Dat geluid. Dat geloei. Kom nou luisteren!'

Pieter holt achter April aan naar haar kamertje. Hij kijkt om zich heen en haalt zijn schouders op.

'Ik hoor niks.'

'Ssst! Wacht even,' fluistert April. 'Ja! Hoor je het nu?'

Op Pieters gezicht breekt een brede lach door.

'O, April! Nu weet ik wat je bedoelt! Ik hoor het ook vaak genoeg als ik in bed lig en nog wakker ben. Alleen, wij zijn er zo aan gewend dat het ons niet meer opvalt...'

April begrijpt er niets van. 'Wat is het dan?'

'Het zijn de koeien in de open stal van de buurman! Als de wind hierheen staat dan hoor je ze heel goed.'

'Koeien?' herhaalt April verbluft. 'Weet... weet je het zeker?'

Pieter proest het uit. 'Ja, koeien!'

Stein ligt heerlijk te slapen met zijn lievelingsknuffel tegen zijn wang. Zacht trekt Pieter de deur van zijn kamertje dicht.

'Zullen we een Harry Potter-film kijken? Het kan nog wel even duren voor mama en Elly thuiskomen,' stelt hij voor.

April stopt de dvd in het apparaat. Pieter snijdt twee dikke plakken ontbijtkoek en besmeert ze met boter. Ze kruipen weg onder een deken en eten met langzame hapjes van hun koek. Telkens als de keukendeur rammelt spitsen ze hun oren en kijken ze om of er iemand binnenkomt. Maar iedere keer is het de wind.

Halverwege de film beginnen ze te geeuwen. Pieter knikkebolt. Zijn hoofd zakt op Aprils schouder. April trekt haar benen op onder de deken. Ze probeert wakker te blijven, maar haar armen en benen voelen zo zwaar en ze heeft deze film al een paar keer gezien...

'Hé, stelletje slaapkoppen!'

Pieter en April kijken slaperig op.

Elly zit in een rolstoel en wijst naar haar gipsbeen. 'Oranje gips!' zegt ze. 'Hup, Holland, hup!'

'Zijn jullie opgebleven om op ons te wachten? Wat lief

van jullie!' zegt tante Mieke. 'Nou, Elly heeft haar praat-jes weer terug, hoor!'

'Oom Gijs, is alles goed met de dijk?' April wrijft in haar ogen.

'Met de dijk? Ach ja, meiske. Er kwam alleen weer wat water over de boulevard, en de kelder van De Bierton en het Chinees restaurant staan weer eens onder water. We hebben nog geprobeerd de boel droog te houden met zandzakken, dat is gedeeltelijk gelukt, maar dus niet helemaal. Die arme mensen hebben wel pech. Dat is nu al de tweede keer dit jaar dat ze waterschade hebben.'

'Gaat het met je, El? Deed het erg zeer?' Pieter kijkt bezorgd naar Elly.

'Nu niet meer, maar eerst wel. Het is een dubbele breuk!' zegt Elly trots.

'Morgen mogen jullie je handtekening op het gips zetten,' zegt oom Gijs bars. 'Maar nu gaat iedereen naar bed. Het is al twaalf uur geweest!'

Hij draagt Elly op zijn rug de trap op naar haar kamer-tje. April loopt achter hem en geeuwt dat het kraakt.

'Hé April, nog bedankt hè, voor alles,' fluistert Elly, als ze bijna boven zijn. 'Schrijf je morgen wat op mijn gips?'

Verrast knikt April. Zij mag het eerst op Elly's gips schrijven, nog eerder dan Elly's vriendinnen van school! 'Ja, goed,' fluistert ze blij terug.

Afgelopen!

Stein en Pieter zijn al beneden. April is zich nog aan het aankleden. De storm is geluwd maar het waait nog wel stevig. In de verte hoort April loeien.

'Een koe!' mompelt ze tegen zichzelf.

Ze loopt naar de badkamer en houdt haar roze T-shirt onder haar kin voor de spiegel. Er staat in glinsterende letters I LOVE NEW YORK op. Het is haar lievelingsshirt maar ze durft het niet aan te trekken. Hilde zal haar alleen nog maar harder pesten als ze het ziet.

April loopt terug naar haar kamertje. Elly zit op haar bed met haar oranje gipsbeen recht voor zich uit.

'Jij mocht uitslapen!' zegt April een beetje geschrokken. 'Ik deed juist heel zachtjes. Heb ik je wakker gemaakt?'

'Ik kon niet zo goed slapen met dat been,' zegt Elly. Ze leunt achterover tegen de muur en geeuwt. 'Dat T-shirt staat je vast heel mooi,' zegt ze.

April kijkt ernaar. 'O... eh...' Ze legt het op het bed en pakt een blauw T-shirt uit haar kastje.

'Waarom trek je het niet aan?' Elly pakt het T-shirt op. Ze ziet de letters. Even blijft ze stil. 'Is Hilde dat meisje met die sproeten en dat bruine haar?'

April knikt. Ze voelt dat ze tranen in haar ogen krijgt. Ze knippert hevig en kijkt van Elly weg.

'Ik heb gelezen wat je in het schrift hebt geschreven,'

zegt Elly zacht. 'Daarom wist ik dat jij wel eens in het hol kwam. En ik hoopte dat je zou bedenken dat ik daar kon zijn. Ik wist gewoon dat je zou komen!'

April trekt het blauwe T-shirt over haar hoofd en steekt haar armen door de mouwen.

'Ze is jaloers op je, die Hilde,' gaat Elly verder.

'Op mij? Waarom?'

'Omdat je uit Amerika komt. Dat maakt je bijzonder.'

'Ik ben niet bijzonder. Ik ben toch geen filmster of zo.'

Elly haalt haar schouders op. 'Dat hoeft ook niet. Hier in dit dorp ben je al gauw bijzonder. Er gebeurt hier bijna nooit iets en iedereen kent iedereen.'

'Ik wou dat ze me met rust liet.'

'Je moet haar laten merken dat je er genoeg van hebt. Dan houdt ze wel op.'

'Ja?'

'Enne, als je rekenen in het Nederlands nou moeilijk vindt, dan reken je toch gewoon in het Engels? Daar heeft toch niemand last van?'

'Maar als ik dan moet uitleggen hoe ik aan het antwoord kom?'

'Dan mag dat vast wel in het Engels. Dan krijgt de klas meteen Engelse les! O, enne... "Hilde is een lomp paart" schrijf je met een d, niet met een t. Je moet denken: twee paarden, dan hoor je die d.'

April is vuurrood geworden. 'Je hebt echt álles gelezen wat ik in het schrift heb geschreven!'

'Ja,' geeft Elly toe. 'Maar jij hebt toch ook alles gelezen wat ik erin had geschreven?'

April knikt. 'Die keer, toen ik hier pas was... Toen ik buiten was met het broodmes, toen was Steven hier, hè?'

'Hoezo?' vraagt Elly.

'Later herinnerde ik het me pas,' zegt April. 'Ik hoorde zijn brommer.'

'Trek dat roze T-shirt toch aan, slimmerd!' zegt Elly met een grijns. 'Als je door een storm durft en mij kan redden, dan hoef je ook niet bang te zijn voor zo'n stom grietje als Hilde!'

Pieter vertelt in geuren en kleuren voor de klas over het gebroken been van zijn zus en over hoe April haar vond en de ambulance belde.

Hilde staart April jaloers aan. '*I hate New York!*' fluistert ze met een gek piepstemmetje.

'Je bent gewoon jaloers!' zegt April keihard door de klas.

De kinderen draaien zich om en staren haar en Hilde aan.

'Jaloers? Doe normaal!' Hilde wordt vuurrood.

'Ja, jaloers en stom!' schreeuwt April. 'Je pest me de hele tijd!'

Hilde probeert onschuldig te kijken. 'Ik... helemaal niet! Ik ben helemaal niet jaloers! Op jou zeker!'

Een paar kinderen lachen. 'Haha, die Hilde!' roept iemand.

Pieter schiet April te hulp. 'Nou, als je niet jaloers op April bent, waarom pest je haar dan?'

'Ik pest haar helemaal niet,' schreeuwt Hilde. Ze is vuurrood geworden.

'Juf Annie komt eraan,' waarschuwt Petra.

De kinderen gaan achter hun tafeltjes zitten.

'Pesten is kinderachtig!' zegt Pieter nog, keihard.

Juf Annie hoort het. 'Wie pest er hier?' vraagt ze.

'Niemand,' zegt Pieter. 'Hè, Hilde?' En hij knipoogt naar April.

April stormt Elly's kamertje binnen.

'Hé!' roept Elly verontwaardigd. 'Verboden toegang! Kun je niet lezen!'

'O, ja, eh... Sorry. Ik moet je wat vertellen!'

'Je hebt Hilde een rotschop verkocht?'

'Nee zeg! Ik... ik zei keihard in de klas dat ze jaloers is

en toen hielp Pieter me en nu durft ze me niet meer te pesten! Ze deed verder de hele dag gewoon!'

Elly grijnst. 'Goed gedaan!'

April gaat op Elly's bed zitten. Ze frummelt aan een draadje dat los aan de zoom van haar roze T-shirt hangt.

'Elly? Ben je nog erg verdrietig dat het uit is met Steven?'

Elly's gezicht betrekt. 'Gaat wel. Hij... Ik... Mama had gelijk. Hij is te oud voor me. Hij heeft een andere vriendin die al van school af is en al werkt.'

'Je krijgt vast wel gauw een nieuw vriendje,' zegt April troostend.

'Ja?' Elly krijgt een kleur. 'April?'

April kijkt op.

'Als je vader voorgoed terug is in New York en jij gaat weer bij hem wonen, mag ik dan bij je logeren?'

'Wil je dat?' vraagt April stralend. 'Ja, natuurlijk! En Pieter ook. En Stein en oom Gijs en tante Mieke! Dan laat ik jullie alles zien en dan gaan we de lekkerste pizza van de wereld eten bij ons op de hoek!'

'Nu schep je zeker op?' zegt Elly lachend.

'Nee! Echt niet. De lekkerste pizza van de wereld! Echt waar!'

April staat op de dijk en kijkt om zich heen. Na de storm is de wind voor een lange tijd gaan liggen. Een zacht lentebriesje waait nu over het land dat vol fluitenkruid en boterbloemen staat.

In de polder werken een paar mannen met machines in de zon. Ze dichten het gat in de oude dijk. De meidoorn ligt netjes aan stukken gezaagd langs de rand van het fietspad.

Stein loopt heen en weer tussen de dijk en de boerderij. Eerst met de oude deurmat en het wijnkistje. Dan telkens met een paar stukken hout in zijn kinderkruiwagentje.

'Voor in de kachel,' vertelt hij trots aan April.

April heeft het schrift allang weggehaald en thuis in de vuilnisbak gestopt. Ze wandelt met Mekkie aan haar riempje over de dijk. Ze kijkt een poosje toe bij de mannen tot het gat dicht is. Dan plukt ze een bos bloemen voor op de keukentafel. Stein loopt achter haar aan en vertelt honderduit over zijn laatste voetbalwedstrijd.

Ter hoogte van de boerderij klimt een man de dijk op. Hij legt zijn hand boven zijn ogen en tuurt tot hij Stein en April ziet. Langzaam begint hij naar hen toe te lopen.

'Daar komt iemand,' onderbreekt Stein zijn verhaal.

April staat net over de taaie stengel van een grote fluitenkruid gebukt. Met een laatste ruk breekt ze hem eindelijk door. Dan pas kijkt ze op. De man is al vlakbij.

'*Daddy!*' Ze laat haar bloemen vallen en vliegt naar hem toe.

'*Darling!*' Aprils vader vangt haar op in zijn armen en zwiert haar rond. 'Ik kreeg een week vrij! Dus waar kon ik beter heen dan naar mijn Hollandse dochter?'

Tante Mieke komt de dijk op en roept Stein. Hij wilde net het hele verhaal over zijn voetbalwedstrijd opnieuw aan Aprils vader gaan vertellen. Spijtig loopt hij met zijn kruiwagentje met de laatste houtblokken erin naar huis.

'Ik vertel het straks wel, oom Hans,' belooft hij.

'Als hij eenmaal begint met praten houdt hij niet meer op,' zegt April.

Haar vader gaat op het randje van het fietspad zitten en trekt haar op schoot. 'Daarom riep je tante hem ook,' zegt hij met een lach. 'Ze begreep vast wel dat jij eerst even met me alleen wilt zijn.'

April leunt achterover tegen hem aan. Aan de ene

kant van de dijk ziet ze de polder, waar nu koeien grazen. De rare bomen heten knotwilgen, dat heeft Pieter April verteld. En aan de andere kant ziet ze, duidelijk aan de horizon van het natuurgebied, de tweede dijk. En naast haar... staat Mekkie smakelijk haar mooie bloemen op te eten!

'Nou ja! Moet je zien!' zegt April verontwaardigd.

Haar vader kijkt opzij en schiet in de lach. 'Je zult nieuwe bloemen moeten plukken.'

April haalt haar schouders op. 'Geeft niks.'

Ze kijken weer uit over de polder. Er is veel te vertellen. April weet bijna niet waar ze moet beginnen.

'En?' vraagt haar vader.

'Wat?'

'Wat vind je van mijn land?'

Ganzen gakken, vogels roepen hoog in de lucht. Een bromvlieg landt op Aprils arm. Een paar witte wolken drijven voorbij in de hoge, blauwe lucht. Een koe werpt haar kop in haar nek en loeit hard.

April lacht.

'Mooi,' zegt ze.

Het geheim van Selma Noort

Toen ik tien jaar was hoorde ik mijn vader en moeder praten in de keuken.

'Dus die zus is z'n moeder,' zei mijn moeder.

'En die vader en moeder zijn eigenlijk z'n opa en oma.'

Ik stond stokstijf. Dit ging over Duncan, mijn vriendje, dat kon niet anders. Die had een oude vader en moeder.

Ik stormde de keuken in.

'Is Duncans grote zus eigenlijk zijn echte moeder?'

'Ssst!' zei mijn moeder fronsend. 'Duncan weet dat zelf niet. Hij gelooft dat zijn opa en oma zijn vader en moeder zijn.'

'Maar... Dat is niet eerlijk! Ze moeten hem de waarheid vertellen.'

Ik moest beloven dat ik niets tegen hem zou zeggen.

Ik wilde het niet beloven, maar ze deden streng.

Het zou mijn schuld zijn als hij van streek zou raken.

Het zou mijn schuld zijn als hij van huis zou weglopen of iets anders wanhopigs zou doen.

Ik beloofde het hem niet te vertellen, maar ik vond het verschrikkelijk. Al die grote mensen die glimlachend logen tegen mijn vriendje. Iedereen wist van alles en hij wist nergens van.

Ik kon nooit meer zo fijn met hem spelen als voor ik van het geheim wist. Soms rende ik huilend naar huis. Het was een akelig, oneerlijk geheim.

Ik heb het hem nooit verteld.

Het geheim van Selma Noort

Toen ik tien jaar was hoorde ik mijn vader en moeder praten in de keuken.

'Dus die zus is z'n moeder,' zei mijn moeder.

'En die vader en moeder zijn eigenlijk z'n opa en oma.'

Ik stond stokstijf. Dit ging over Duncan, mijn vriendje, dat kon niet anders. Die had een oude vader en moeder.

Ik stormde de keuken in.

'Is Duncans grote zus eigenlijk zijn echte moeder?'

'Ssst!' zei mijn moeder fronsend. 'Duncan weet dat zelf niet. Hij gelooft dat zijn opa en oma zijn vader en moeder zijn.'

'Maar... Dat is niet eerlijk! Ze moeten hem de waarheid vertellen.'

Ik moest beloven dat ik niets tegen hem zou zeggen.

Ik wilde het niet beloven, maar ze deden streng.

Het zou mijn schuld zijn als hij van streek zou raken.

Het zou mijn schuld zijn als hij van huis zou weglopen of iets anders wanhopigs zou doen.

Ik beloofde het hem niet te vertellen, maar ik vond het verschrikkelijk. Al die grote mensen die glimlachend logen tegen mijn vriendje. Iedereen wist van alles en hij wist nergens van.

Ik kon nooit meer zo fijn met hem spelen als voor ik van het geheim wist. Soms rende ik huilend naar huis. Het was een akelig, oneerlijk geheim.

Ik heb het hem nooit verteld.

Pssst...

Wie heeft de geheim-schrijfwedstrijd gewonnen?
Hoe heet het nieuwste boek?

Met de G E H E I M -nieuwsmail weet jij alles als eerste.

Meld je aan op www.geheimvan.nl

Op de website www.geheimvan.nl kun je:
- meedoen met de schrijfwedstrijd
- schrijftips krijgen van Rindert Kromhout
- alles te weten komen over de G E H E I M -boeken

Kijk ook op www.leesleeuw.nl

Selma Noort
Het geheim van de snoepfabriek

Waar Meda woont, ruikt het naar caramel en chocola, frambozen
en vanille. Meda is gek op de snoepfabriek van haar vader.
Er is alleen één groot probleem: het geheime recept voor zuchtjes
is zoek! Iedereen in de wijde omgeving wil alleen maar deze super-
luchtige snoepjes die smelten op je tong. Zuchtjes zijn wereldbe-
roemd in het dorp van Meda. Zonder zuchtjes geen snoepfabriek.
Meda en haar vriend Jan gaan op zoek. Ze moeten het recept
vinden!
Ze hebben niet in de gaten dat ze achtervolgd worden. Wat moet
die engerd van hen? Zijn er kapers op de kust?

Wat is jouw geheim? Doe mee aan de wedstrijd! <u>www.geheimvan.nl</u>

Selma Noort & Rosa Bosma
Het geheim van het spookhuis

Het is kermis. Valerie gaat voor het eerst naar het spookhuis.
Alleen is het oude spookhuis dat zij uitkiest wel heel vreemd.
Het is niet open en toch lokken stemmen haar het donker in.
Wie is die deftige dame en waarom is ze doorzichtig?
David wil er het zijne van weten. Langs het been van een
enorme trol klimt hij naar boven...

Rosa Bosma is de winnares van de G E H E I M *-schrijfwedstrijd 2004.*

Lourdes ontdekt dat de nieuwe jongen in de klas een groot geheim heeft. Opgewonden vertelt ze het aan Mo: Hidde heeft magische krachten! Mo gelooft er niets van. Hij ontdekt wel een verdacht geheim van Hidde en meteen weet hij: Olivia is in gevaar! Hij probeert haar te waarschuwen. Of is het al te laat?

Vier schrijvers. Vier hoofdpersonen. Eén doorlopend verhaal.